GARFIELD

rigolfeur

PAR JIM DAVIS

PAR JIM DAVIS

GARFIELD

rigolfeur

TRADUIT DE L'AMÉRICAIN PAR
JEAN-ROBERT SAUCYER

Publié par **Presses Aventure**, une division de
Les Publications Modus Vivendi Inc.
3859, autoroute des Laurentides
Laval (Québec) H7L 3H7
Canada

Dépot légal: 1ᵉʳ trimestre 2003
Bibliothèque nationale du Québec
Bibliothèque nationale du Canada
Bibliothèque nationale de France

Traduction de: Garfield GainsWeight
ISBN 2-89543-107-8

Canada Nous reconnaissons l'aide financière du gouvernement du Canada par l'entremise du Programme d'aide au développement de l'industrie de l'édition (PADIE) pour nos activités d'édition.

«Gouvernement du Québec – Programme de crédit d'impôt pour l'édition de livres – Gestion SODEC »

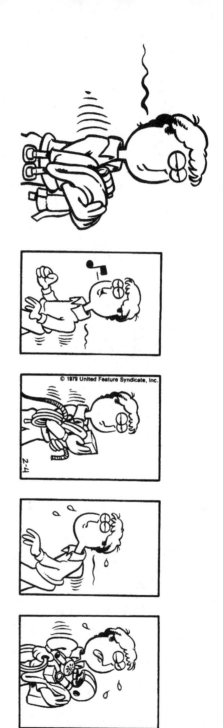

TOUT CE QUE VOUS TOUCHEZ EST À VOUS!

JIM DAVIS

FAUT-IL 3 OU 4 D?

OUUUILLE!

KROCK!

À TABLE, IL Y A UN AVANTAGE À ÊTRE UN CHAT

2-16

JIM DAVIS

UN MOT DE HUIT LETTRES SYNONYME DE DOULEUR

2-17

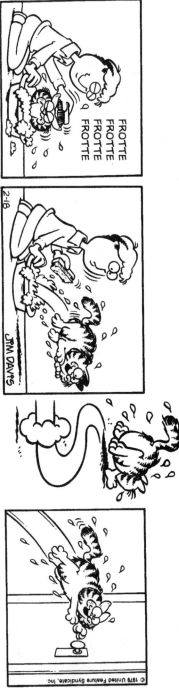

SOIS HONNÊTE, POOKY. CROIS-TU QUE J'AI PRIS UN PEU DE BRIOCHE?

© 1979 United Feature Syndicate, Inc.

2-21

IL A UNE PERSONNALITÉ EFFACÉE MAIS IL SAIT QUAND LA BOUCLER

JIM DAVIS

2-22

IL DANSE AVEC LES OURS?

LA PROCHAINE FOIS, JE MÈNE LA DANSE

© 1979 United Feature Syndicate, Inc. JIM DAVIS

EH BIEN, DIS DONC! POOKY N'APPRÉCIE PAS LES CHIENS

LE FAIT QU'IL ME MENTE M'OFFENSE MOINS QUE LE PEU D'INTELLIGENCE QU'IL ME PRÊTE

POUF!

2-24

ALLONS FAIRE UNE PROMENADE, MON PETIT

2-25

QUI A FAIT TOMBER MA FOUGÈRE DU REBORD DE LA FENÊTRE?

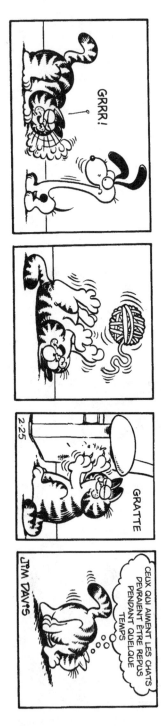

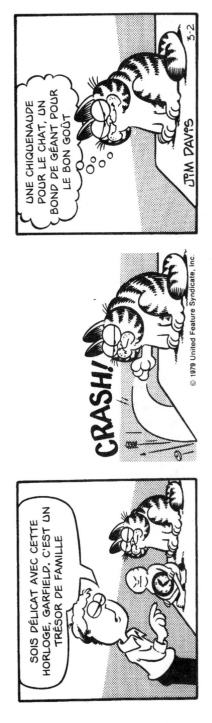

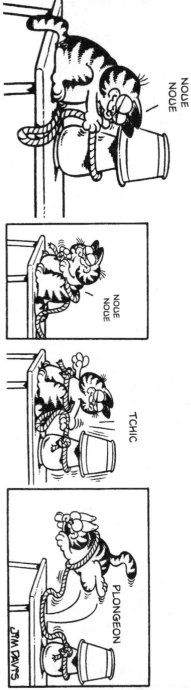

IL NE MANQUE PLUS QU'UN COUCHER DE SOLEIL

IL MONTE SON FIDÈLE COURSIER ODIE

GARFIELD, LE COWBOY AU REGARD D'ACIER ERRE DANS LE VILLAGE

3-9

JUSTE AU MOMENT OÙ L'ON CROIT AVOIR VU TOUTES LES GALIPETTES DE SON CHAT

3-10

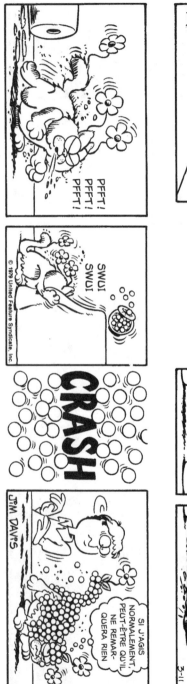

3-15

HUMM!

C'EST BIEN CE QUE JE CROYAIS. IL Y A LÀ-DEDANS UN ÉCRITEAU OÙ C'EST ÉCRIT «ESPACE À LOUER».

JIM DAVIS

JE DEVRAIS APPRENDRE À APPRÉCIER ODIE

MAIS JE NE PEUX RESPECTER QUELQU'UN QUI TOURNE 3 FOIS SUR LUI-MÊME AVANT DE SE COUCHER

JIM DAVIS

3-14

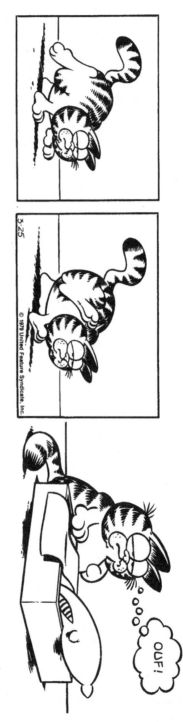

HA HA! LE VENGEUR VOLANT EST TÉMOIN D'UNE INJUSTICE

BANG!

LE VENGEUR VOLANT APERÇOIT L'AXE DU MAL QU'IL DOIT DÉTRUIRE AU NOM DU BIEN, CAR LE VENGEUR VOLANT N'EST PAS UNE POULE MOUILLÉE

3-28

BOUM!

OUSTE LÀ, SALE BRUTE!

JIM DAVIS

3-29

MAIS IL N'EST PAS STUPIDE NON PLUS

JIM DAVIS

LE VENGEUR VOLANT COMMENCE À CROIRE SES PROPRES COMMUNIQUÉS DE PRESSE

3-30

© 1979 United Feature Syndicate, Inc.

LE VENGEUR VOLANT S'EN VIENT DE CE PAS ANNONCER SA RETRAITE PRÉMATURÉE

© 1979 United Feature Syndicate, Inc.

JRM DAVRS

SPJAT!.

LE VENGEUR VOLANT S'ÉLANCERA POUR COMBATTRE LE VILAIN FACTEUR

JRM DAVRS

LE VENGEUR VOLANT S'EN VA DE CE PAS COMBATTRE LE MAL

3-31

AU PRINTEMPS, LES RAYONS DU SOLEIL INVITENT À LA PARESSE

JIM DAVIS

44

JE FERAIS MIEUX D'ÊTRE PRUDENT

J'ADORE LE PRINTEMPS

L'HERBE SORT DE SA DORMANCE, LES BULBES S'ÉVEILLENT APRÈS UN LONG HIVER

4-5

ET LES OISEAUX REVIENNENT DE MIAMI

JIM DAVIS

SI JE PARESSE UN TANT SOIT PLUS, JE SOMBRE DANS LE COMA

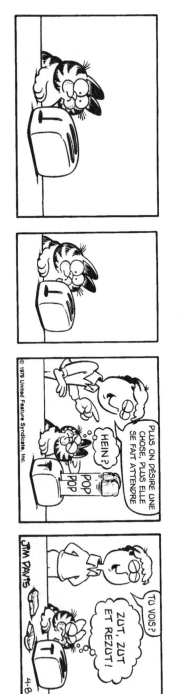

GARFIELD EST D'HUMEUR MASSACRANTE DEPUIS QUELQUE TEMPS

NOUS ALLONS VOIR. SAIS-TU COMMENT ON TRAITE UN CHAT DE MAUVAISE HUMEUR?

4-12

GRRR

FFFT

4-11

JE ME SUIS FAIT UN LUMBAGO

© 1979 United Feature Syndicate, Inc.

JIM DAVIS

AVEC BEAUCOUP, BEAUCOUP DE RESPECT

JIM DAVIS

© 1979 United Feature Syndicate, Inc.

C'EST UN MOYEN DE SAVOIR QUE L'ON EST VIVANT

PENSÉE PROFONDE DU LUNDI MATIN

OU PEUT-ÊTRE DE CHOU RÂPÉ?

LÀ, TU PARLES

J'ADORE RECEVOIR DU COURRIER

SNIFF!

ALLONS CHERCHER LE COURRIER, GARFIELD

QUE DIRAIS-TU DE CHOU BOUILLI POUR DÉJEUNER, GARFIELD?

4-17

VAS-Y GARFIELD!

ATTRAPE-LA!

CRICRI

JIM DAVIS

CINQ MINUTES DE PAUSE, L'AMI, APRÈS QUOI ON REFAIT LE MÊME NUMÉRO

OUF OUF

OUAH! OUAH! OUAH!

YIP!

TRISTE

JIM DAVIS

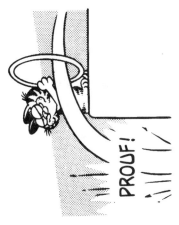

TEL UN RESSORT, IL S'APPRÊTE À BONDIR

GLOUGLOU

4-29

SES MUSCLES D'ACIER LE PROPULSENT VERS SA PROIE SANS DÉFENSE

LE CHAT A UNE IRRÉSISTIBLE ENVIE DE VIANDE FRAÎCHE

DE NOUVEAU, L'INSTINCT FÉLIN A ASSURÉ SA SUBSISTANCE

LE CHAT PERÇOIT UNE PROIE SANS MÉFIANCE À QUELQUES PAS

© 1979 United Feature Syndicate, Inc.

JIM DAVIS

BURP!

VOILÀ QUI ÉTAIT IMPOLI ET GROSSIER, GARFIELD. LES CHATS SONT DES CRÉATURES RAFFINÉES QUI N'ÉRUCTENT PAS À TABLE

BEURK!

JIM DAVIS © 1979 United Feature Syndicate, Inc.

GARFIELD, DIS-MOI CE QUE TU PENSES DE MON DERNIER POÈME

« MON COPAIN »

J'AI UN COPAIN, MON COPAIN EST UN CRAPAUD. IL EST COUVERT DE BOUE. IL EST ÉCRASÉ SUR LA ROUTE MAIS IL EST MON COPAIN. ET MON COPAIN IL RESTERA JUSQU'À CE QU'ON LE RACLE ET QU'ON L'EMPORTE.

GARFIELD?

JIM DAVIS © 1979 United Feature Syndicate, Inc.

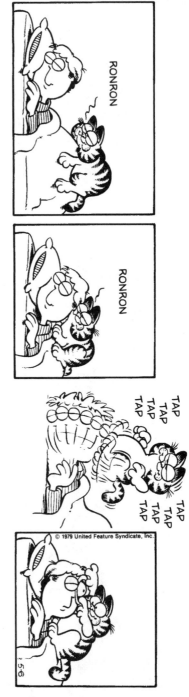

TU Y ES FINALEMENT ARRIVÉ, GARFIELD. TES PATTES NE TOUCHENT PLUS TERRE. QUE VAS-TU FAIRE À PRÉSENT ?

5-16

JE VAIS TE MONTRER CE QUE JE VAIS FAIRE

JE VAIS TE MONTRER CE QUE JE VAIS FAIRE SI TU VEUX BIEN APPROCHER LA LASAGNE QUI SE TROUVE LÀ-BAS

JIM DAVIS

TU VAS DEVOIR TE METTRE À L'EXERCICE, GARFIELD, POUR PERDRE DU POIDS

VOICI CE QUE NOUS ALLONS FAIRE. J'ACHÈTE UNE LAISSE ET NOUS FAISONS UNE PROMENADE CHAQUE MATIN

5-17

S'IL EN AVAIT, JE DIRAIS QU'IL ESSAIE DE FAIRE DE L'ESPRIT

JIM DAVIS

ILS SE RELAIENT DE NOUVEAU SUR LE TOURNE-DISQUE.

© 1979 United Feature Syndicate, Inc.

JPM DAVIS

LES CHATS SE MONTRENT ÉGALEMENT STUPIDES PARFOIS

© 1979 United Feature Syndicate, Inc.

JPM DAVIS

POURQUOI DIS-TU CELA?

SPLOUCH!

ATSUP

5-21

JE CROIS QUE LE MOMENT EST VENU DE TROUVER UNE OCCUPATION À GARFIELD ET ODIE

LES CHATS SE MONTRENT PARFOIS CURIEUX

ATSUP

5-22

VOUS AI-JE DÉJÀ PARLÉ D'ONCLE HARRY? C'ÉTAIT UN CÉLÈBRE SOURICIER À L'EMPLOI D'UN VERRIER À GAS CITY DANS L'INDIANA

5-25

TCHAC!

JIM DAVIS

LA LÉGENDE VEUT QU'ONCLE HARRY AIT POURSUIVI UNE SOURIS JUSQUE DANS LE RÉSERVOIR NUMÉRO 2

BONK!

BONG!

À PRÉSENT, IL EST DEVENU PRESSE-PAPIERS À BAYONNE DANS LE NEW JERSEY

JIM DAVIS

BELLE CHUTE AMORTIE, L'AMI

N'AS-TU AUCUN RESPECT POUR LES DÉFUNTS?

5-24

ALLÔ CARO? QUE DIRAIS-TU D'UNE SOIRÉE CINÉMA? OH! BIEN SÛR, JE COMPRENDS

ELLE DIT QU'ELLE AURAIT ADORÉ M'ACCOMPAGNER AU CINÉMA CE SOIR

CLICK

MAIS ELLE DOIT RESTER CHEZ ELLE POUR S'ÉPILER LES SOURCILS

SUBTIL!

CETTE SATANÉE TONDEUSE NE FONCTIONNE PAS

LAISSE-MOI ESSAYER

SI JE POUVAIS COMMERCIALISER CETTE GRIMACE, JE SERAIS VITE RICHE

BRRR!

Z

IL N'Y A QU'UN INCONVÉNIENT À PASSER LA SEMAINE AU LIT

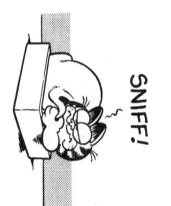

SNIFF!

Z

GRATTE GRATTE

5-30

ÇA PAR EXEMPLE! J'AI DORMI PENDANT TOUTE LA BANDE DESSINÉE D'AUJOURD'HUI

JIM DAVIS

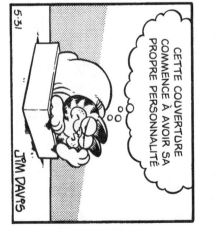

5-31

CETTE COUVERTURE COMMENCE À AVOIR SA PROPRE PERSONNALITÉ

JIM DAVIS

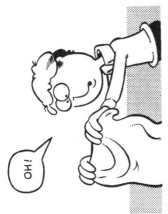

PTOOEY!

PTOOEY!

À PRÉSENT, GARFIELD,
ENVOIE DES LOBS
ÉLEVÉS

PTOOEY!

6-3

JIM DAVIS

© 1979 United Feature Syndicate, Inc.

VOICI UN SACHET DE CRAQUELINS, GARFIELD

CROC CRIC

LEUR GOÛT EST AFFREUX

LA PROCHAINE FOIS, RETIRE L'EMBALLAGE

JIM DAVIS

POURQUOI CET AIR MOU AUJOURD'HUI, GARFIELD?

6-5

PAF!

NE DIS JAMAIS «MOU» DEVANT UN RONDOUILLARD

JIM DAVIS

6-4

DIS LYMAN, QUE PENSES-TU DE MA NOUVELLE RAQUETTE DE TENNIS?

L'ENNUI PAR TEMPS CHAUD C'EST QUE

DE QUOI EST FAIT LE CORDAGE?

DE VISCÈRES DE CHAT

LES GLAÇONS DISPARAISSENT VITE DES VERRES

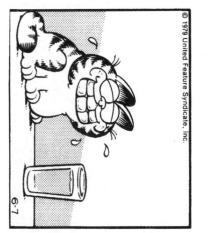

6-9

TANTE REBA!

6-7

PUISQUE TU INSISTES, IL DOIT ENCORE SE TROUVER UN SENTIER OU DEUX QUI RESTENT INEXPLORÉS

6-11

DE PLUS, J'AI PRÉVU DE LA LASAGNE À TOUS LES REPAS

DEBOUT GARFIELD! NOUS PARTONS EN CAMPING

JAMAIS DE LA VIE

JIM DAVIS

© 1979 United Feature Syndicate, Inc.

RIEN QUE NOUS, LE CIEL ET LES ARBRES

OÙ EST LA TÉLÉ?

JIM DAVIS

© 1979 United Feature Syndicate, Inc.

6-12

AH! LE PLEIN AIR

ENFIN NOUS VOICI DANS L'IMMENSITÉ VERTE, GARFIELD

ALORS, GARFIELD?

POURQUOI CET AIR MAUSSADE, GARFIELD?

QUE DIS-TU DU CAMPING JUSQU'À PRÉSENT?

JE NE SAIS PAS

VOIS QUI J'AI EMMENÉ

POOKY!

JE NE ME SUIS JAMAIS TROUVÉ AUSSI LOIN DE MA LITIÈRE

JE PRÉFÈRE LE CAMPING AVEC UN AMI

© 1979 United Feature Syndicate, Inc.

IL EST TROP GRAS

BOUCHE TES OREILLES! CETTE FEMME EST UN CHARLATAN!

JIM DAVIS

MAIS IL VAUT MIEUX VOUS OCCUPER DE LUI

T'ENTENDS CE QU'ELLE DIT, JON?

6-29

M. ARBUCKLE, POUR L'ESSENTIEL VOTRE CHAT EST EN BONNE SANTÉ

À BIENTÔT, LIZ

BONNE JOURNÉE

JIM DAVIS

ÉCOUTE, CRÉTIN! JE VAIS SOIGNER TON CHAT MAIS JE NE SUPPORTERAI PAS TES REMARQUES STUPIDES. COMPRIS?

EUH!

DITES LIZ, NOUS SOMMES-NOUS DÉJÀ CROISÉS AUPARAVANT? DANS UNE RIZIÈRE À HONG KONG?

6-30

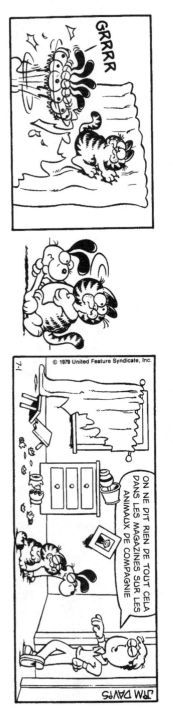

OH LA LA! NOM D'UN CHIEN! POURQUOI LES CHATS N'APPRENNENT-ILS JAMAIS?

JIM DAVIS

ZOOM!

7-16

CHIC! JE N'AI RIEN DE BRISÉ

JIM DAVIS

PROUF!

JE SAUTE DE CETTE BRANCHE MÊME SI JE DOIS ME ROMPRE LE COU

7-17

QUE DIRIEZ-VOUS DE PASSER CHEZ MOI POUR CASSER LA CROÛTE AVANT LE DODO?

7-20

PAS D'HISTOIRE! VOUS N'AVEZ RIEN À CRAINDRE D'UN VIEUX CHAT COMME MOI

VOUS POUVEZ EMMENER UNE AMIE ET NOUS PRENDRONS LE DESSERT ENSEMBLE

DÉSOLÉE, NOUS NE SERVONS PAS LES CHATS

ET QU'EST-CE QUE CE SERA POUR VOTRE CHIEN, MONSIEUR?

7-21

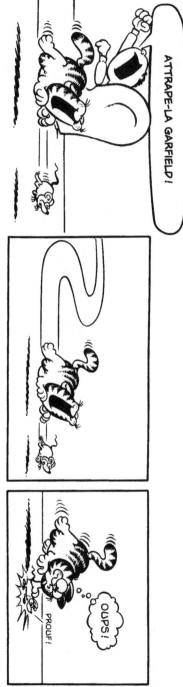

POURQUOI N'AGIS-TU PAS COMME LES AUTRES CHATS, GARFIELD?

8-1

LAISSE-MOI T'EXPLIQUER LES DIFFÉRENCES FONDAMENTALES ENTRE LES HUMAINS ET LES CHATS

BIEN, MAIS FAIS VITE, J'AI UNE LEÇON DE TENNIS DANS 30 MINUTES

8-2

VIVEMENT UNE COLLATION AVANT LE COUCHER

JIM DAVIS

CRAC

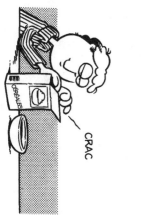

JIM DAVIS

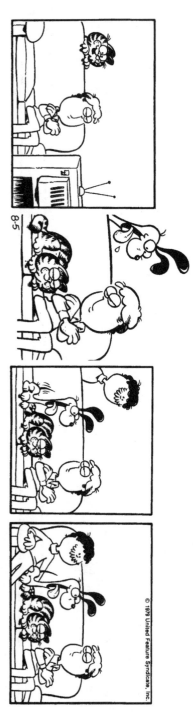

QUELLE CHALEUR INSUP- PORTABLE

8-12

CUI CUI

UN REQUINS !

© 1979 United Feature Syndicate, Inc.

ALLEZ-VOUS- EN !

JIM DAVIS

J'ADMIRE LA GRÂCE INNÉE DES CHATS

8·15

HUM!

8·16

SMACK!

PAR AILLEURS, IL Y A GARFIELD

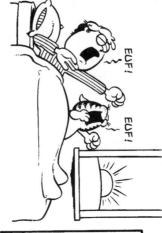

EUF!
EUF!

CARESSE
CARESSE
CARESSE

JIM DAVIS

LA LA LA♪

MROW♪

8·19

ALLONS FAIRE DU JOGGING GARFIELD

AMUSE-TOI BIEN!

GARFIELD